THE
BOOK
FAV
SCO.
WORDS

M000207826

Text copyright – **Susan Cohen ©2022**
Illustration copyright – **The Wee Book Company @2022**
A CIP record of this book is available from the British Library.

Paperback ISBN 978-1-913237-21-9

First edition published in the UK in 2020 by The Wee Book Company Ltd. This is the second edition published in the UK in 2022. **www.theweebookcompany.com**

Printed and bound by Bell & Bain Ltd, Glasgow.

FSC
www.fsc.org
MIX
Paper from
responsible sources
FSC® C007785

ARSE
(MAKE A MESS/CAN'T BE BOTHERED/BOTTOM)

> *Ye've made a richt arse o' tha'!*
> *~ Aye, weel ah cuidnae be arsed*
> *daein' it properly! ~ Och, ye're*
> *useless. Away an' park yer arse*
> *doon o'er there!*

BACKIE
(CATCHING A RIDE ON THE SEAT OF BICYCLE)

'Mon then, hop oan behind me an' ah'll gie ye a backie doon the hill straicht tae yer front door! Here we go-o-o-o!

BARRIE
(CATCHING A RIDE ON THE TOP BAR OF A BICYCLE)

'Mon then, hop up an ah'll wheech ye a' the wiy hame. Mind an' lean o'er so's ah can see where ah'm gaun!

BAFFIES
(CARPET SLIPPERS)

Ma fav'rite thing in the hale wurld is tae stick oan ma baffies an' ma jammies, park ma arse doon oan the couch an' watch re-runs o' Tak' The High Road.

BAHOOCHIE
(BOTTOM)

> *Ah must've put oan the beef o'er lockdoon. Ah cannae squeeze ma bahoochie intae ma jeans.*

BALTIC
(FREEZING COLD)

Mind an' tak' yer cardi, yer duffel coat an' yer balaclava wi' ye. It's pure baltic oot there!

BEASTIE
(CREEPY CRAWLY/SMALL ANIMAL)

*Jings, this kitchen is mingin'!
Ah've jist seen a wee beastie flee
across the flair an' crawl unner
the cooker! Keep the heid, an' it
micht jist stay there.*

BESOM
(CHEEKY PERSON)

Thon cheeky wee besom a' the corner shop hus only gone an' telt me auf fur no' wearin' ma face mask properly. Mind, she micht huv hud a point. Ah think ah micht huv hud it oan upside doon!

BIDIE IN
(PARTNER/COMMON LAW HUSBAND OR WIFE)

> *Ah'm richt scunnered wi' next door's bidie in. She keeps hoggin' the parkin' space ootside ma hoose. Huv we a traffic cone lyin' aboot? Or a bag o' spikey nail tacks?*

BLACK–AFFRONTIT
(EMBARRASSED)

A' ah did wus invite the mither-in-law roond fur a visit but the puppy went an' shat oan the carpet, richt in front her! Jings, ah wus black-affrontit!

BLETHER

(CHAT)

Och, ye cannae huv a richt guid blether oan thon Zoom thingumay. It's no' the same as sittin' doon wi' a cup o' tea an' a nice wee scone.

BOAK
(SICK)

Ah cannae stomach thon fancy hummus stuff. It gies me the boak. Gimme a pie oan a roll an' it's happy days fur me!

BUNNET
(HAT/BONNET)

> *Unner thon tartan bunnet he hus a foo heid o' hair an' brains tha' are razor sharp. Or so he says.*

BURACH
(SHAMBLES/MESS)

Dinnae go intae the front room, it's a burach in there! The cat's been climbin' up the curtains an' the weans huv bin swingin' frae the licht fittin'!

CARNAPTIOUS
(BAD—TEMPERED/QUARRELSOME)

Thon wifie's so carnaptious, she wuidnae crack a smile e'en if she found an extra pickled egg in her fish supper!

CLAMJAMFRY
(RABBLE)

A'body poured oot o' the pub oan tae the street. The hale clamjamfry wus jumpin'! They wur huvin' a proper hooley!

CLART/CLARTY
(DIRTY—MINDED PERSON/DIRTY, FILTHY)

Wha' are ye lookin' a' me lik' tha' fur?
Ah only said ah'd taken ma neebur up
the back alley. Och, ye're a big clart!

~

Hey, you! Keep yer clarty paws
awa' frae ma clean washin'!

CLOOT
(PIECE OF CLOTH/RAG)

Jings, ah've gone an' couped o'er the milk. Lob the cloot o'er here tae me so's ah can mop it up, wuid ye?

CLUDGIE
(TOILET)

> *Yer Da's been sittin' in the cludgie fur a-g-e-s. He must be scrollin' through thon facebook again. Gaun rap oan the door! Sure his arse must be numb!*

CLYPE
(TELL—TALE)

Thon wee clype next door hus only gone an' telt the gadgie frae the Cooncil tha' ah'd been lobbin' ma rubbish intae her wheelie bin. Wish she'd shut her geggie! Ah'm ragin'!

COORIE IN
(CUDDLE IN)

Come here tae me an' coorie in, ma wee darlin'. Aye, ye've hud a shite day but the morra's gaun tae be a hale lot better fur ye.

CRABBIT
(GRUMPY/BAD–TEMPERED)

Ye know when ye wak' up an' jist feel crabbit fur nae reason? Aye? Weel, tha's YOU! Wise up an' gie us a smile, ya big numpty!

DICHT

(WIPE)

Naw, he didnae bother cleanin' the kitchen. He jist ran roond an' roond like a mad mental bawheid an' gave it a quick dicht wi' a cloot.

DOUR
(MISERABLE)

Thon gadgie's tha' dour, he wuidnae crack a smile e'en if he found an extra battered sausage in his munchie box!

DROOKIT
(SOAKING WET)

Ah've jist been oot fur the messages an' the heavens opened. Jings, the Big Man startet greetin' buckets! Look, ah'm drookit!

FANKLE
(MUDDLE)

Ah got masel' intae a richt fankle the ither day when ah cuidnae figure oot wha' colour wheelie bin tae put oot. Ah ended up puttin' them a' oot an' hopin' furrabest!

FANNY
(SILLY PERSON/MUCKING ABOUT)

Ya big fanny! While ye've been fannyin' aboot a' day lang, ma nose hus been glued tae the grindstone! Ye've ended up daein' hee haw!

FANTOOSH
(FANCY)

Yon weddin' was tha' fantoosh, the scran wus served oan toaty wee plates wi' bits o' salad. Wur stomachs thocht wur throats hud been cut so we hud tae stop by the chip van oan the wiy hame.

FASH
(FRET/GET ANGRY/IRRITABLE)

Och, it's only a wee Christmas turkey fur you an' me. Naebody else is comin' roond wi' a' this social distancin' malarkey. Dinnae fash yersel'!

FEARTIE
(SCAREDY CAT)

Och, ya big feartie! Staund weel back! It's only a wee moose tha's gaun an' got loose aboot this ... erm ... hoose.

FOOSTY
(GONE OFF/MOULDY)

Noo ah'm wurkin' frae hame, ah dinnae huv tae eat foosty sandwiches oot o' a plastic box fur ma lunch. Ah can hoof it back an' fore tae the fridge a' day lang!

FOUTER
(FUSSING ABOUT/NOT GETTING ON WITH THINGS)

If thon yin doesnae stop fouterin' aboot a' the checkoot, ah'm gaun tae spit the dummy – face mask or no'!

FURRYBOOTS
(WHEREABOUTS)

Furryboots dae ye come frae?
Auchtermuchty? Furryboots is tha'?
Onywhere near Inverness?
Aberdeen? Isle o' Islay?
Jings, onywan got a map?

GALLUS
(CHEEK/BOLDNESS)

He jist daundered intae the meetin' twa hours late, gallus as ye lik'. He'd kept a'body waitin' an' he cuidnae gie a toss! He needs tae get his arse in gear.

GINGER
(FIZZY DRINK)

> *Geeza a bottle o' cauld ginger, wuid ye? Ah've got an awfy drouth!*

GLAIKIT
(VACANT—LOOKING)

> *Dinnae staund there a' glaikit an' useless. Hoof it doon tae the bakers an' get queuin' fur ma butteries!*

GOONIE
(NIGHTGOWN)

> *Ah've been wearin' ma goonie since lockdoon startet an' it's pure hum-a-ding-dong!*

GREET
(CRY/WEEP)

Ah cuid greet when ah think o' thon Spanish holiday we hud tae cancel. Aye, ah know tha' we hud a daytrip tae Largs instead but it wusnae quite the same.

GRIPPY
(MEAN/TIGHT WITH MONEY)

> *Thon yin's tha' grippy, as soon as it's his turn tae get a roond in he tells a'body he's auf tae the cludgie an' nivver comes back!*

GUDDLE

(MESS)

Efter yon Storm Fergus (or wus it Findlay?) a' ma plant pots hud couped o'er, ma fairy lichts hud wrapped roond the washin' line an' ma trampoline hud landed up a tree. Wharra guddle!

HAIRY—MOULDIT
(MOULDY)

Macaroni fur tea, did ye say? Jings, dinnae tell me ye made it wi' thon hairy-mouldit wedge o' cheese frae the bottom o' the fridge? Are ye wise?

HAIVER
(TALK NONSENSE)

> *Dinnae bother askin' him wha' he's done wi' his wage packet this week. He'll jist gie ye a load o' mince an' haivers. He doesnae huv a bawbee left!*

HAMELDAEME
(MYTHICAL PLACE — STAYCATION AT HOME)

Where am ah gaun fur ma holidays when a' this hoo-ha's o'er? Hameldaeme! Ah've nae spondoolicks tae go onywhere else!

HEART—ROASTIT
(EXASPERATED/WORRIED)

Him next door an' his brother huv their poor auld Mammy heart-roastit wi' a' their shady shenanigans. They'll soon huv the polis efter them the wiy they're gaun!

HEE HAW
(RHYMING SLANG — F'ALL/NOTHING)

> *Wha's fur supper? Ah'll tell ye wha's fur supper – absolute hee haw! Ah huvnae been fur the messages in a-g-e-s. Gaun hoof it doon tae the chippy.*

HIGH HEID YIN
(THE PERSON IN CHARGE)

Ye want a day auf? Ye'll huv tae ask the Heid Bummer, the High Heid Yin, the boss! Good luck! He's richt crabbit the morn. Got oot o' his scratcher the wrang side, fur sure

HEIDER
(FALL DOWN HEAD FIRST)

Ah jist hud wan wee swally, then next thing ah took a heider doon the stairs! Eh? Aye, okay ... so it wus mair than wan but who's countin'?

HIRPLE
(LIMP)

Ah fell o'er the front step, stubbed ma big toe, planted ma coupon oan the flair an' lost ma wallies. Ah've been hirplin' iver since.

HOOLEY
(PARTY/RAUCOUS GET—TOGETHER/CELEBRATION)

Wha' did ye say?
There's a hooley this Friday
nicht? Wi' this lockdoon thing?
Aye, tha'll be shinin' bright!

HUNNERS
(HUNDREDS/MANY)

Ah hoofed it roond the park hunners o' times durin' lockdoon an' ended up namin' ivry wan o' the ducks oan the pond. Reminds me, ah huvnae seen wee Senga fur weeks ...

JAMMY
(LUCKY)

Thon yin's tha' jammy, if he fell intae the Clyde he'd come up wi' a salmon in his mooth.

JANNIE
(SCHOOL JANITOR)

> *Wus it YOU tha' broke the classroom windae? Ye'd better hoof it afore the jannie comes efter ye!*

KERFUFFLE
(FUSS/BOTHER)

Aye, sure ah can tackle yon fantoosh Nigella's recipe fur supper the nicht, but ah'd rather order a wee takeaway an' stick ma trotters up. Tae pot wi' a' yon kerfuffle!

LOUPIN'
(THROBBING WITH PAIN)

Ah went tae ma pal's hoose fur a wee swally last nicht. Thing is, it turned oot tae be no' so wee. Wheesht it, will ye? Ma heid's loupin'.

LUMBER
(GETTING LUCKY WITH THE OPPOSITE/SAME SEX)

Did ye huv a guid weekend? By the looks o' ye, ye hud a crackin' weekend! Ye must've gone oot an' got a lumber!

MANKY
(DIRTY/DISGUSTING)

Will ye stop dunkin' yer chips in ma broon sauce? Tha's pure manky!

MEE—MAWS
(POLICE/POLICE SIRENS)

Ah cuidnae sleep fur a' the mee-maws fleein' up an' doon the street! Wharra racket!

MESSAGES
(FOOD SHOPPING)

Ah'm awa' fur the messages.
Where's ma shoppin' list?
Where's ma bags fur life?
Where's ma face mask?

MINCE
(RUBBISH — SPOKEN)

This hale jing bang thing's o'er,
ye're sayin'? Nae mair lockdoon?
Nae mair social distancin'?
No nae nivver? Away!
Ye're talkin' pure mince!

THE MORN'S MORN
(TOMORROW MORNING)

Aye, ah said ah'd weed the garden this efternoon but there wus fit'ba on the telly, keep the heid! Ah'll tackle it the morn's morn. Och ... heng aboot ... the snooker ...

NEB
(NOSE)

Naw, ah'm no' surfin' youtube fur videos o' kittens an' puppies. Ah'm very busy wurkin' frae hame. Very busy, very busy ... aye, very busy ... so keep yer neb oot o' ma business an' back auf frae ma screen!

NIPPY SWEETIE
(GRUMPY/SHORT—TEMPERED/ACID—TONGUED)

Her next door's a richt nippy sweetie! She chased me hauf wiy doon the road an' gave me a shedload o' grief fur the state o' ma wheelie bin!

NUMPTY
(SILLY PERSON)

Ma best pal's jist called me tae ask whither ah've borrowed her car cos she's jist noticed tha' it's no' parked ootside her hoose. She forgot it's awa' gettin' its MOT. Wharra numpty!

OFFSKI
(GO/LEAVE QUICKLY)

Wan mair wee swally fur me then ah'm offski! Ah've got an early start the morn's morn so ah've got tae try tae be a responsible grown up. Hey, you! Wipe tha' smile auf yer coupon!

OXTER
(ARMPIT)

Dinnae you come runnin' here tae me wi' a' yer mince an' haivers! Ah'm up tae ma oxters in ma ain wurries!

PEELY WALLY
(VERY PALE)

Ah've been locked doon inside fur so long, ah've gone a' peely wally. As soon as ah get outdoors, ah'm lik' a wee mole blinkin' in the sunlicht.

PERNICKETY
(FUSSY/FASTIDIOUS)

Thon yin's tha' pernickety, she matches her facemask tae her overcoat an' wellies.

PIECE
(SANDWICH)

Dae ye fancy a piece an' jam in yer haund? It'll keep ye gaun 'til yer dinner.

PLOOK
(SPOT/BLEMISH)

> *The poor beggar hus tha' mony plooks, his coupon looks lik' the dark side o' the moon.*

PUGGLED
(TIRED)

Wheesht, ah'm jist daein' ma wurkoot wi' thon Joe Wicks in the front room. Ten meenits in an' ah'm puggled a'ready!

RAGIN'
(ANGRY/FURIOUS)

Ah cuidnae find bog rolls in ony o' the supermarkets the day. A' thae greedy besoms huv stocked up tae the roof wi' the stuff. Ah'm ragin'! We'll soon be daein' the needful wi' newspaper!

RANDAN
(OUT ON THE TOWN)

When this hale sorry business is behind us, ah'm auf oot oan the randan wi' ma pals. Bingo ... line dancin' ... darts ... bowls ... ye name it, we'll be daein' it!

SCOOBY
(RHYMING SLANG — SCOOBY—DOO/NO CLUE)

Ye're no' seriously askin' me furryboots yer glasses are, are ye? Ah huvnae got a scooby! When did ye last see them, ya numpty?

SCRATCHER
(BED)

> *Gerrup oot o' yer scratcher, ya lazy besom! It's gone eleven! Ah've been up an' done hauf a day's wurk afore ye've e'en come to!*

SCUNNERED
(FED UP)

Did ye catch the news? It's mega-lockdoon noo. We a' huv tae lock wursel's in wur cludgies an' no' come oot unless it's rainin' puppies or aliens land in wur gardens. Ah'm fair scunnered wi' it!

SEMMIT
(VEST)

*Ye shuid've seen him struttin'
roond the front room in his
semmit an' drawers, gallus as
ye lik', claimin' tae be the spit o'
Sean Connery. Ah think lockdoon
hus messed wi' his heid!*

SHANKS'S PONY
(USING YOUR FEET/WALKING)

Ah cannae tak' a taxi hame cos ah huvnae got a bawbee tae ma name. It's Shanks's Pony fur me!

SHOOGLY
(WOBBLY)

Dinnae park yersel' doon oan thon chair wi' the shoogly leg. Chances are ye'll land richt doon oan yer bahoochie.

SITOOTERIE
(OUTDOOR SEATING AREA)

*Fancy meetin' up fur a wee swally?
Let's gaun find a pub wi' a sitooterie,
dae thon social distancin' thing an'
huv as much of a knees-up as we
can! Okay, so no' tha' much
o' a knees-up then...*

SKELP
(SMACK)

When ah wus wee, ah'd get a skelp roond the lug fur ma cheek, unless ah ran awa' an' blamed it oan ma wee sister. She's nivver forgotten — she still gies me the evils!

SLEEKIT
(CRAFTY/CUNNING)

Thon bold boy sidled up tae me an' wheeched the last scotch egg richt frae unner ma nose when ah wusnae lookin'. The sleekit beggar!

SOOK
(SOMEONE WHO CURRIES FAVOUR WITH ANOTHER)

Is tha' you makin' anither cup o' coffee fur the boss? Wha's tha' ah see? A bit o' tablet an' a hobnob oan the side? Jings, ye're a big sook!

SPONDOOLICKS
(MONEY)

> *Ah nivver huv ony spondoolicks left efter ah pay fur ma leckie, ma scran an' ma oanline shoppin' binges. This lockdoon thing is clearin' me oot!*

SPURTLE
(IMPLEMENT FOR STIRRING PORRIDGE)

The secret tae ma mooth-waterin', earth-shatterin', teeth-chatterin' porridge? Ah mak' it wi' ma Granny's spurtle. Wheesht it! Dinnae tell a soul!

STOATER
(SOMETHING THAT IS EXCEPTIONAL IN QUALITY)

Huv ye seen next door's new motor? Jings, wharra stoater! Mind, how can he afford it when he's oan the buroo?

STOCIOUS
(VERY DRUNK)

He'd parked his arse in the pub in the early efternoon tae watch the fitba'. By closin' time, he wus pretty weel stocious.

STOOR
(DUST)

Afore ah cuid catch it, ma yum-yum rolled unner the couch an' got covert in stoor. Ye'd think ah hudnae hoovered unner there since the nineties. Heng aboot. Ah huvnae!

STOOSHIE
(ROW)

*Wharra stooshie there wus a'
the bakers the noo! They'd run
oot o' double-decker doughnuts
an' ivrywan in the queue
kicked auf!*

STRAMASH
(UPROAR)

> *Wharra stramash doon the supermarket! There wus skin an' hair fleein' up the breid aisle an' ah hud tae run fur ma life! Ye'd think ah'd made auf wi' the last pan loaf or sumthin'. Heng aboot, ah did!*

SWALLY
(DRINK)

Ah huv a wee swally wi' ma supper afore ah heid auf tae ma scratcher, an' then a wee chaser or three. Aye, ah sleep lik' a log. Funny, tha'...

SUSAN COHEN

SWEETIE WIFE
(GOSSIP)

He's a richt auld sweetie wife.
He'll heng oan the garden fence
a' day lang an' gie ye a' the news
o' the street if ye let him.

THINGUMAY
(THINGMABOB, WHATSIT, OOJAMAFLIP)

Where's yon thingumay? – It's beside the doofer in amongst a' that guddle! – Found it!

THRAWN
(STUBBORN)

> *Thon yin's tha' thrawn, if he wusnae wearin' baffies an' a bunnet, he'd be taken fur a mule!*

UPTY
(UP TO)

Wharra ye upty the morra?
Fancy meetin' fur a wee walk in
the park an' a cheeky wee picnic?
Ah've packed sausages, broon
sauce, iron brew, the hale
jing bang lot!

URNY
(ARE NOT)

So ye think ye're gaun oot oan the randan the nite, dae ye? Weel, think again, pal. Naw, ye urny! It's lockdoon an' ah'm gaun tae nail yer feet tae the flair!

WABBIT
(EXHAUSTED/TIRED OUT)

Aw, ma wee darlin'. Ye look fair wabbit efter a' thae extra lockdoon shifts. Why don't ye tak' yersel' auf tae yer bed an' coorie doon unner the candlewick? Ah'll wake ye when it's Monday.

WALLIES
(FALSE TEETH)

> *Nae wunner ye cuidnae mak' oot wha' he was sayin'. He didnae huv his wallies in!*

WEAN
(CHILD)

Next door's weans huv gaun feral. A' ah've heard through thae walls is thump-thump-thumpy-thump a' day lang!

WHEESHT
(BE QUIET)

Will ye haud yer wheesht?
Ah cannae hear wha' thae
politicians are sayin' oan the telly.
Oan second thochts, jist go back
tae makin' yer racket – ah dinnae
want tae hear ony mair!

WINCH
(KISS AND CUDDLE/DATE/COURT)

Aw, ah remember when we used tae be winchin' in the back row o' the pictures an' the usherette wuid come an' shine her torch in wur e'en. Aw, happy days.

ZEDS
(SLEEP)

Where's the Big Yin anyhoo?
Is he still up in his scratcher
giein' it zeds?

SCOTS TAE ENGLISH

BAWBEE .... PENNY (ORIGINALLY A SIXPENCE)

BAWHEID .... SILLY PERSON

BUTTERIES .... SAVOURY SCOTTISH PASTRIES

COUPED .... KNOCKED OVER

COUPON .... FACE

CRACKIN' .... VERY GOOD

DAUNDER .... WANDER

DROUTH .... THIRST

FLEEIN' .... FLYING/RUSHING

GADGIE .... MAN

GEGGIE .... MOUTH

HALE .... WHOLE

HEID .... HEAD

HOGGIN' .... GRABBING SOMETHING FOR ONESELF

HOOF IT .... WALK

HUM—A—DING—DONG .... SMELLY

JAMMIES .... PYJAMAS

JINGS!	GOSH!
LECKIE	ELECTRIC
LOB	THROW
MINGIN'	DIRTY
'MON THEN	COME ON THEN
MUCKLE GREAT	GREAT BIG
OAN THE BUROO	IN RECEIPT OF BENEFITS
NEEBUR	NEIGHBOUR
PAWS	HANDS
POOCH	POCKET
PUT OAN THE BEEF	PUT ON WEIGHT
SCRAN	FOOD
SHAT	DID A POO
SHITE	RUBBISH, ROTTEN
SKOOSH	SPRAY
SPIT	DOUBLE (SHORT FOR SPITTING IMAGE)
SPIT THE DUMMY	THROW A TANTRUM
THE MORRA	TOMORROW
WHARRA	WHAT A
WHEECH	RUSH/THROW
YUM—YUM	SWEET SCOTTISH PASTRY